Fathach a bhí i Seoirse, an fathach ba ghioblaí sa tír. Chaitheadh sé an péire céanna seanchuarán donn i gcónaí. Agus an seanróba céanna, é clúdaithe le paistí.

"Ní maith liom bheith gléasta mar seo," a deir sé go brónach. "Níl sé go deas bheith gioblach."

Lá amháin, thug Seoirse faoi deara go raibh
siopa nua ar an mbaile. Bhí éadaí breátha
ar díol ann. Cheannaigh sé...

léine bhreá,

péire breá brístí,

crios breá,

carbhat breá ildaite,

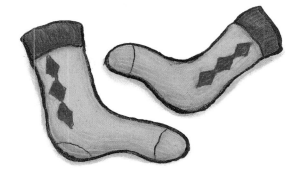

péire breá stocaí a raibh
dearadh breá daite ar an taobh,

agus péire breá
bróga snasta.

"Anois is mé an fathach is breátha sa tír!" a deir sé go bródúil.

D'fhág Seoirse na seanéadaí
ina dhiaidh sa siopa.
Bhí sé ar tí imeacht abhaile
nuair a chuala sé torann.

Bhí sioráf ina sheasamh taobh amuigh.
Bhí cuma an-bhrónach air. "Cad atá ort?" arsa Seoirse.

"Mo mhuineál!" arsa an sioráf. "Tá sé an-fhada go deo agus tá fuacht air. Ba bhreá liom scairf fhada theolaí a bheith agam."

"Scairf, an ea?" arsa Seoirse. Bhain sé de a charbhat breá ildaite. "Ní raibh sé ag teacht le mo chuid stocaí ar aon nós," a deir sé. Shocraigh sé an carbhat thart ar mhuineál an tsioráif.

Ba bhreá an scairf a bhí anois ann!

"Go raibh maith agat!" arsa an sioráf.

Shiúil Seoirse leis, é ag canadh go bog dó féin:

"Thug mé mo charbhat don sioráf fuar
 Ach féach orm siar is aniar –
 Is mé an fathach is breátha sa tír!"

Tháinig Seoirse chomh fada le bruach abhann.

Bhí gabhar i mbád ann agus é ag méileach go hard.

"Cad atá ort?" arsa Seoirse.

"Mo sheol!" arsa an gabhar.

"Scuab an ghaoth chun siúil é.

"Ba bhreá liom seol nua láidir
a bheith agam do mo bhád!"

"Seol, an ea?" arsa Seoirse. Bhain sé de a léine bhán nua.

"Is deacair í a choinneáil néata ar aon nós," a deir sé. Cheangail sé an léine le crann an bháid. Ba bhreá an seol a bhí anois ann!

"Go raibh maith agat!" arsa an gabhar.

Shiúil Seoirse leis, é ag canadh dó féin:

"Thug mé mo charbhat don sioráf fuar,

Thug mé mo léine mar sheol don ghabhar,

Ach féach orm siar is aniar –

Is mé an fathach is breátha sa tír!"

Tháinig Seoirse chomh fada le teachín beag a bhí dóite go talamh. Le taobh an tí, sheas luch bhán agus a hál luichíní beaga. Bhí siad ar fad ag caoineadh.

"Cad atá oraibh?" arsa Seoirse.

"Ár dteach!"
arsa Mamaí na luch go brónach.

"Dódh go talamh é.
    Níl aon áit againn le cónaí ann.

"Ba bhreá liom teach
deas nua a bheith againn!"

"Teach, an ea?" arsa Seoirse. Bhain sé de ceann dá bhróga snasta. "Bhí mo chos á gortú aici ar aon nós," a deir sé. Isteach sa bhróg leis an luch agus a hál luichíní. Teach álainn a bhí anois ann!

"Go raibh maith agat!" a deir siad.

B'éigean do Sheoirse preabadh ar leathchois anois,
ach ba chuma leis. Thosaigh sé ag canadh dó féin:

"Thug mé mo charbhat don sioráf fuar,

Thug mé mo léine mar sheol don ghabhar,

Thug mé mo bhróg mar theach don luch,

Ach féach orm siar is aniar –

Is mé an fathach is breátha sa tír!"

Tháinig Seoirse chomh
fada le láthair champála.
Bhí sionnach ann, é ina
sheasamh taobh le puball.
Bhí sé ag caoineadh go fras.
"Cad atá ort?" arsa Seoirse leis.

"Mo mhála codlata!"
arsa an sionnach.

"Thit sé isteach
i lochán uisce."

"Ba bhreá liom mála codlata tirim,
teolaí a bheith agam."

"Mála codlata, an ea?" arsa Seoirse. Bhain sé de ceann dá stocaí.
"Bhí sé ag cur dinglise ar mo chos ar aon nós," a deir sé. Isteach
sa stoca leis an sionnach. Mála codlata breá a bhí anois ann!
"Go raibh maith agat!" arsa an sionnach.

Phreab Seoirse leis ar leathchois,
é ag canadh a amhráin nua:

"Thug mé mo charbhat don sioráf fuar,
Thug mé mo léine mar sheol don ghabhar,
Thug mé mo bhróg mar theach don luch,
Thug mé mo stoca don sionnach bocht,
Ach féach orm siar is aniar –
Is mé an fathach is breátha sa tír!"

Tháinig Seoirse chomh fada le portach mór leathan. Bhí madra ina sheasamh ann. Bhí sé ag sceamhaíl go brónach. "Cad atá ort?" arsa Seoirse.

"An portach seo!"
arsa an madra.

"Caithfidh mé é a thrasnú.
Ach táim ag dul go glúin
sa bhogach fliuch, salach.

Ba bhreá liom bealach
tirim a bheith agam tríd."

"Bealach tirim, an ea?" arsa Seoirse. Bhain sé de a chrios deas nua. "Bhí sé ag brú isteach ar mo bholg ar aon nós," a deir sé. Leag sé síos an crios ar an talamh bog. Ba bhreá an droichead a bhí anois ann!

"Go raibh maith agat!" arsa an madra.

Bhí gaoth ag séideadh anois, ach ba chuma le Seoirse.

Phreab sé leis ar leathchois, é ag canadh i gcónaí:

"Thug mé mo charbhat don sioráf fuar,

Thug mé mo léine mar sheol don ghabhar,

Thug mé mo bhróg mar theach don luch,

Thug mé mo stoca don sionnach bocht,

Don mhadra a thug mé mo chrios, dar fia,

Ach...

"Tá mo bhríste ag titim síos!
Is mé an fathach is fuaire sa tír!"

Go tobann, bhí Seoirse brónach agus fuar. Ní raibh cuma róbhreá anois air. Sheas sé ar leathchois. "Beidh orm dul ar ais chuig an siopa agus tuilleadh éadaí a cheannach," a dúirt sé leis féin.

Chas sé thart agus phreab sé an bealach ar fad ar ais chuig an siopa.

Ach faoin am go raibh sé ann bhí an siopa DÚNTA!

"Ó ná habair!" arsa Seoirse. Shuigh sé ar leic an dorais.
Rith deoir mhór síos a shrón. Bhí sé chomh brónach leis na
hainmhithe ar fad a casadh air i gcaitheamh an lae.

Ansin, thug sé rud faoi deara a bhí fágtha in aice an tsiopa.
Mála mór a bhí ann. Mála mór éadaí...

"Mo róba!" a bhéic sé le háthas. "Mo sheanróba agus mo sheanphéire cuarán!" Chuir Seoirse air iad. Bhí siad go hálainn compordach.

"Is mé an fathach is teolaí sa tír!" a deir sé. Siúd abhaile leis agus é ag damhsa le háthas.

Taobh amuigh dá theach, cé a bhí ag fanacht leis ach na hainmhithe ar fad ar chuidigh sé leo. Bhí bronntanas mór acu dó.

"Seo leat, a Sheoirse," a deir siad. "Oscail é!"

Scaoil Seoirse an ribín den bheart. Cad a bhí ann ach cárta agus coróin álainn, é déanta as páipéar órga.

"Léigh an cárta, a Sheoirse!" arsa na hainmhithe.

Chuir Seoirse an choróin ar a cheann. D'oscail sé an cárta.

Agus seo an rud a bhí scríofa ann, taobh istigh:

Thug tú do charbhat
don sioráf fuar
Thug tú do léine
mar sheol don ghabhar
Thug tú do bhróg
mar theach don luch
Thug tú do stoca
don sionnach bocht
Don mhadra a thug tú
do chrios, dar fia,
Ach seo chugat
coróin an rí,
Le caitheamh ar do cheann, a chroí,
Is tú an fathach is CINEÁLTA
sa tír.

Do Lola – J.D.

Foilsithe den chéad uair in 2002 ag Macmillan Children's Books,
imprionta de chuid Macmillan Publishers International Limited.
An leagan Gaeilge foilsithe den chéad uair in 2019 ag Futa Fata, An Spidéal.

Futa Fata,
An Spidéal,
Co. na Gaillimhe,
Éire.
www.futafata.ie

ISBN: 978-1-910945-45-2

Futa Fata